Mynd am dro gyda i'r sio

Christa Richardson

caa

PRIFYSGOL
ABERYSTWYTH

Dyma Moli.

Dyma Meg.

Mae Moli a Meg yn ffrindiau da.

SIOP C

Mae Moli a Meg
yn mynd i'r siop i
brynu bwyd.

4

Bara ffres

Mae Meg yn
rhoi bara yn
y fasged.
Bara gwyn.

5

Mae Moli yn rhoi caws yn y fasged.
Caws melyn.

Mae Meg yn talu
am y bwyd.

Mae Moli yn rhoi'r bwyd yn y fasged.

Mae Moli a Meg yn hoffi mynd i'r siop.

9

Hwyl fawr, Moli!
Hwyl fawr, Meg!